Bajo mis pies

La ardilla listada

Patricia Whitehouse
Traducción de Patricia Abello

Heinemann Library
Chicago, Illinois

© 2004 Heinemann Library
a division of Reed Elsevier Inc.
Chicago, Illinois

Customer Service 888-454-2279
Visit our website at www.heinemannlibrary.com

Designed by Sue Emerson, Heinemann Library; Page layout by Que-Net Media™
Printed and bound in the United States by Lake Book Manufacturing, Inc.
Photo research by Bill Broyles

08 07 06 05 04
10 9 8 7 6 5 4 3 2 1

Library of Congress Cataloging-in-Publication Data
La ardilla listada [Chipmunks. Spanish] / Patricia Whitehouse; traducción de Patricia Abello.
ISBN 1-4034-4345-9 (HC), 1-4034-4353-X (Pbk.)
The Cataloging-in-Publication Data for this title is on file with the Library of Congress.

Acknowledgments
The author and publishers are grateful to the following for permission to reproduce copyright material:
p. 4 Suzanne Szasz/Photo Researchers, Inc.; pp. 5, 12, 13, 20 Dwight Kuhn; p. 6 William J. Weber/Visuals Unlimited; pp. 7, 14 Tom McHugh/Photo Researchers, Inc.; p. 8 Kim Taylor/Bruce Coleman Inc.; p. 9 Jack Ballard/Visuals Unlimited; p. 10 S. Maslowski/Visuals Unlimited; p. 11 Rich Kirchner/NHPA; p. 15 Joe DiStetens/Photo Researchers, Inc.; p. 16 David S. Addison/Visuals Unlimited; p. 17 Tom & Pat Leeson/Photo Researchers, Inc.; p. 18 Stephen J. Krasemann/DRK Photo; p. 19 Leonard Lee Rue III/Leonard Rue Enterprises; p. 21 Gregory K. Scott/Photo Researchers, Inc.; p. 23 (row 1, L-R) Tom & Pat Leeson/Photo Researchers, Inc., Tom McHugh/Photo Researchers, Inc., William J. Weber/Visuals Unlimited; (row 2, L-R) S. Maslowski/Visuals Unlimited, Dwight Kuhn, Tom McHugh/Photo Researchers, Inc.; (row 3) Dwight Kuhn; back cover Tom McHugh/Photo Researchers, Inc.

Illustration on page 22 by Will Hobbs
Cover photograph by John Mitchell/Photo Researchers, Inc.

Every effort has been made to contact copyright holders of any material reproduced in this book. Any omissions will be rectified in subsequent printings if notice is given to the publisher.

Special thanks to our advisory panel for their help in the preparation of this book:
Ursula Sexton, Researcher
WestEd
San Ramon, CA

Anita Constantino,
Literacy Specialist
Irving Independent School District
Irving, TX

Leah Radinsky,
Bilingual Teacher
Inter-American Magnet School
Chicago, IL

Aurora García,
Reading Specialist
Northside Independent School District
San Antonio, TX

Special thanks to Mark Rosenthal, Abra Prentice Wilkin Curator of Large Mammals at Chicago's Lincoln Park Zoo, for his help in the preparation of this book.

Unas palabras están en negrita, **así.**
Las encontrarás en el glosario en fotos de la página 23.

Contenido

¿Hay ardillas listadas por aquí?

Cuando caminas afuera, es posible que no veas ninguna ardilla listada.

Pero tal vez hay una bajo tus pies.

Las ardillas listadas viven debajo de la tierra.

Hacen sus casas allí.

¿Qué son las ardillas listadas?

Las ardillas listadas son **roedores**.

Las ardillas listadas y otros roedores son **mamíferos**.

Los mamíferos tienen pelo o pelaje.

Los mamíferos producen leche para sus crías.

¿Cómo son las ardillas listadas?

cola   dedo

La ardilla listada tiene cuatro patas y una cola larga y peluda.

Tiene cinco dedos en cada pezuña.

Tiene rayas oscuras y claras en la espalda.

Las ardillas listadas son más o menos del tamaño de un ratón.

¿Dónde viven las ardillas listadas?

Las ardillas listadas viven solas, en una casa debajo de la tierra.

La casa de una ardilla listada se llama **madriguera**.

Las ardillas listadas viven donde
hay árboles.

Algunas viven en los parques
de las ciudades.

¿Cómo es la casa de las ardillas listadas?

La **madriguera** tiene un **nido**.

Los nidos están llenos de pasto y hojas suaves.

Algunas madrigueras tienen cuartos llamados **cámaras.**

Las ardillas listadas guardan comida en las cámaras.

¿Cómo se orientan las ardillas listadas?

Las ardillas listadas usan sus ojos para ver por debajo de la tierra.

De día entra un poco de luz a sus **túneles**.

Las ardillas listadas usan la nariz.

Pueden oler la comida que esconden debajo de la tierra.

¿Cómo hacen sus casas las ardillas listadas?

Algunas ardillas listadas excavan **madrigueras** con las pezuñas delanteras.

Sacan la tierra con el hocico y las pezuñas delanteras.

Otras ardillas listadas se mudan a madrigueras desocupadas.

Estas madrigueras fueron hechas por otros animales como este **tejón**.

¿Qué tiene de especial la casa?

Las ardillas listadas esconden los huecos de sus **madrigueras**.

Los huecos están cerca de rocas o plantas.

La mayoría de madrigueras tienen muchas entradas.

Así las ardillas listadas pueden escapar rápidamente del peligro.

¿Cuándo salen de la tierra las ardillas listadas?

Cuando hace calor, las ardillas listadas salen a buscar comida.

Regresan a la **madriguera** de noche para dormir.

Las ardillas listadas duermen casi todo el invierno.

Si no hace mucho frío, salen de sus madrigueras.

Mapa de la casa de una ardilla listada

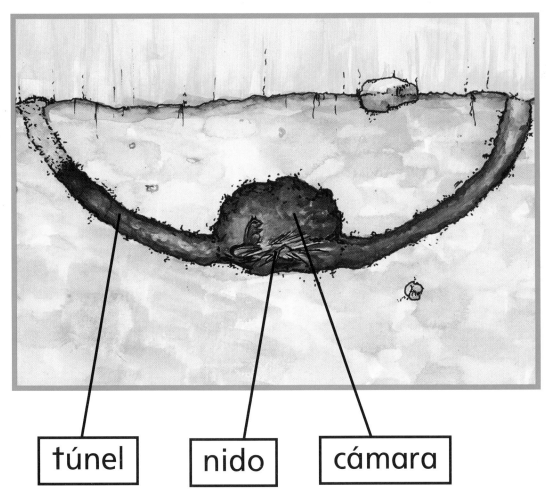

túnel nido cámara

Glosario en fotos

tejón
página 17

mamífero
páginas 6, 7

roedor
página 6

madriguera
páginas 10, 12,
13, 16, 17, 18,
19, 20, 21

nido
páginas 12, 22

túnel
páginas 14, 22

cámara
páginas 13, 22

Nota a padres y maestros

Leer para buscar información es un aspecto importante del desarrollo de la lectoescritura. El aprendizaje empieza con una pregunta. Si usted alienta a los niños a hacerse preguntas sobre el mundo que los rodea, los ayudará a verse como investigadores. Cada capítulo de este libro empieza con una pregunta. Lean la pregunta juntos, miren las fotos y traten de contestar la pregunta. Después, lean y comprueben si sus predicciones son correctas. Piensen en otras preguntas sobre el tema y comenten dónde pueden buscar las respuestas. Ayude a los niños a usar el glosario en fotos y el índice para practicar nuevas destrezas de vocabulario y de investigación.

! PRECAUCIÓN: Recuérdeles a los niños que no deben tocar animales silvestres. Los niños deben lavarse las manos con agua y jabón después de tocar cualquier animal.

Índice